Qui sauvera Bonobo?

Texte : ANDRÉE POULIN
Illustrations : ÉLISABETH EUDES-PASCAL

Catalogage avant publication de Bibliothèque et Archives nationales du Québec et Bibliothèque et Archives Canada

Poulin, Andrée

Qui sauvera Bonobo ?

Pour enfants de 4 ans et plus.

ISBN 978-2-89608-058-8

I. Eudes-Pascal, Élisabeth. II. Titre.

PS8581.O837Q5 2008 jC843'.54 C2008-940325-8
PS9581.O837Q5 2008

Graphisme : Pierre David

Dépôt légal : 2008
Bibliothèque nationale du Québec
Bibliothèque nationale du Canada

Les éditions Imagine
4446, boul. Saint-Laurent, 7e étage
Montréal (Québec) H2W 1Z5
Courriel : info@editionsimagine.com
Site Internet : www.editionsimagine.com

Tous nos livres sont imprimés au Québec.
10 9 8 7 6 5 4 3 2 1

Conseil des Arts du Canada Canada Council for the Arts

Gouvernement du Québec – Programme de crédit d'impôt pour l'édition de livres – Gestion SODEC. Programme d'aide aux entreprises du livre et de l'édition spécialisée.

Nous reconnaissons l'aide financière du gouvernement du Canada par l'entremise du programme d'aide au développement de l'industrie de l'édition (PADIÉ) pour nos activités d'édition.

Nous remercions le Conseil des Arts du Canada de l'aide accordée à notre programme de publication.

À Marie, toujours prête à tendre une main secourable.

ANDRÉE POULIN

À mes deux trésors, Maël et Aloïs.

ÉLISABETH EUDES-PASCAL

Bonobo et Bonobelle ont faim. Très faim. Une bande de babouins gloutons a vidé leurs bananiers. Le frère et la sœur n'ont rien mangé depuis deux jours.

Pour oublier sa faim, Bonobelle tisse des ombrelles avec des feuilles de bananier.

Soudain, elle s’exclame :
— J’ai une idée !
On pourrait offrir
des ombrelles
aux babouins
en échange
de bananes.

— Que veux-tu qu'un babouin fasse d'une ridicule ombrelle ? bougonne Bonobo.

Non ! On n’a plus le choix ! Je dois aller plus loin dans la jungle pour trouver de la nourriture.

— Je viens avec toi ! s'écrie Bonobelle.

— Pas question. Tu es trop petite, réplique son frère.

Après plusieurs heures de marche, Bonobo aperçoit enfin
un bananier. Ses fruits luisent comme de l'or au soleil. Miam !

Bonobo attrape une liane et s'élance
vers les bananes. Il culbute et virevolte.
Mais il rate sa cible et tombe dans
le marais. Plouf !

Ah non ! C'est un marais de sables mouvants.
Le jeune singe s'enfonce peu à peu. Il se débat.
Plus il se débat, plus il s'enfonce.
— Au secours ! crie Bonobo.

Bonobelle arrive en courant sur la berge. Elle tend une liane à son frère. Mais Bonobo est trop loin et la liane est trop courte.

— Tu es trop petite ! Tu ne peux pas m'aider, gémit Bonobo.

— Je ne suis pas trop petite ! proteste sa sœur. Je vais te sortir de là !

Perché au sommet du cocotier, le perroquet a tout vu.
Il se lance dans un long discours :
— Quand on vit dans la jungle, il faut s'entraider. Je vais réunir une équipe d'urgence. On va réfléchir à la meilleure solution. On pourrait faire venir un hélicoptère ? Ou construire un pont ? Ou assécher le marais ?
Bonobelle s'emporte :
— Arrêtez de jacasser et faites quelque chose ! Mon frère va se noyer !
Mais le perroquet poursuit son babillage.
Bonobelle crie à Bonobo :
— Je vais chercher de l'aide !

Bonobelle croise une girafe.
— Mon frère se noie dans le marais. Avec votre long cou, vous pourriez facilement le sortir de là.
La girafe fait semblant de ne pas avoir entendu.
— S'il fallait que j'aide tous ceux qui sont dans le pétrin, j'aurais constamment le torticolis, marmonne-t-elle.

Bonobelle aperçoit un lion
qui se repose à l'ombre
d'un palmier. Elle s'approche
et lui dit :
— Monsieur le Lion, s'il vous
plaît ! Mon frère va se noyer !
Le lion secoue sa crinière
et décrète :
— Je suis le Roi de la jungle
et je suis très occupé. Quelqu'un
d'autre aidera ton frère.

Bonobelle tente ensuite
de stopper une gazelle
qui passe en courant.
— Pouvez-vous m'aider
à tirer mon frère du marais ?
— Je n'ai pas le temps.
Je m'entraîne pour le
marathon. J'ai une course
à gagner.

Alerté par les cris de Bonobo, un éléphant s'amène au marais.
— Tu vois bien que je suis trop gros. Je ne peux pas t'aider, je risque de m'enfoncer, dit le mastodonte.

Deux flamants survolent Bonobo, qui continue d'appeler au secours.
— On ne le connaît pas, dit le premier.
— Et maman ne sera pas contente si on rentre à la maison couverts de boue, ajoute l'autre.

Bonobo gémit et laisse couler ses larmes. Un crocodile colérique donne un coup de queue sur le sol. Il fait claquer ses mâchoires et houspille le jeune singe :

— Je déteste les larmes de crocodile. Cesse de pleurnicher, ça ne donne rien.

Bonobelle accoste un zèbre et le supplie de l'aider à secourir Bonobo.

— C'est l'heure de ma sieste. J'irai plus tard, répond le zèbre.

Bonobelle tape du pied et tempête :

— Il n'y a donc aucun animal serviable dans cette jungle ?

Un buisson frémit et un cobra surgit.

— Je vous en prie : aidez mon frère, supplie Bonobelle.

Le cobra dresse son corps sinueux et siffle :

— Si je le sors de là, je vais le manger…

Bonobelle réussit à entraîner une autruche vers le marais.

À la vue de Bonobo enfoncé dans le marais jusqu'aux coudes, l'autruche s'exclame :
— Ah non ! C'est trop triste ! Je ne veux pas voir ça.
— Maman… murmure Bonobo avant d'éclater en sanglots.
Bonobelle ne supporte pas de voir son frère pleurer.
Elle repart au grand galop.

Bonobelle court vite, très vite. Elle n'entend pas le gargouillement de son ventre vide. Elle ne sent même pas les branches qui la giflent au passage. Elle débouche sur une clairière, où broute un hippopotame. En voyant l'animal cligner des yeux sous le soleil ardent, Bonobelle a une idée.

Elle s'approche de l'hippopotame, qui se met à bâiller. Devant cette gueule gigantesque remplie de dents énormes, Bonobelle tremble de la tête aux pieds. Mais elle pense à son frère prisonnier des sables mouvants. Alors, elle se plante devant l'animal et ouvre son ombrelle.

— Mon ombrelle protégerait vos oreilles des coups de soleil.

— Oh oui ! s'exclame l'hippopotame, ravi.

— Je vous l'offre en échange d'un petit service...

Bonobelle retourne au marais sur le dos de l'hippopotame.
— Courage, Bonobo ! crie-t-elle.

L'hippopotame appuie ses grosses fesses contre le tronc d'un cocotier. Il pousse et pousse. Crac ! L'arbre tombe à travers le marais. Mais Bonobo, trop épuisé, n'arrive pas à se hisser dessus.

Bonobelle s'avance prudemment sur le tronc et tend l'ombrelle à son frère. Il allonge son bras aussi loin que possible et parvient à la saisir. Bonobelle tire de toutes ses forces et finit par sortir Bonobo du marais.

— Tu as réussi ! crie Bonobelle.

— *Nous* avons réussi, précise Bonobo, à bout de souffle.

Le frère et la sœur s'étendent au soleil pour se reposer.
— Comment as-tu convaincu l'hippopotame de t'aider ? demande Bonobo.
— Je lui ai offert une de mes ridicules ombrelles, répond Bonobelle.